La France en danger et les secrets de Picasso

MIRA CANION

TRANSLATION BY ANNY EWING

La France en danger et les secrets de Picasso

French adaptation of:

Agentes secretos y el mural de Picasso

Translation by Anny Ewing

Cover art and artwork by David Bruce Bennett

Chapter photography by Mira Canion

Photos of Arles contributed by Kendra Whipkey

ISBN 978-0-9836958-7-5

EAN-13 9780983695875

Table des matières

Note de l'auteur

The Spear of Destiny has a fascinating history. It pierced Christ's side during his crucifixion, and thus it is believed to possess supernatural powers. According to legend, whoever holds it controls the destiny of the world. If the Spear were lost, death would follow. French King Louis IX, Saint Louis, bought the Spear tip during a crusade and built the Sainte-Chapelle to display it and other holy relics. Around 1789, during the French Revolution, the Spear disappeared without a trace. A modern search for the Spear began when Hitler confiscated all holy relics in his quest to conquer Europe. Eventually some French collaborated with Germany while others, most notably General Charles de Gaulle, chose to resist German occupation.

My lively and somewhat lighthearted story starts in 1937 by blending this modern search for the spear with the Nazi bombing of Guernica, Spain during that same year. Pablo Picasso, a famous Spanish artist and permanent resident of France, painted 'Guernica' to decry the horrors of war. Exactly in the middle of the painting and of my story, is a spear. Let your imagination run wild and happy reading.

Mira Canion
Erie, Colorado
www.miracanion.com

La France en danger et les secrets de Picasso

Paris, France

Un talent particulier

Paris, France
1937

Paris célèbre une occasion spéciale. C'est « l'Exposition internationale » et des millions de touristes visitent Paris. Pauline et Luc visitent Paris parce que Luc a une mission secrète : il veut examiner un tableau à l'Exposition internationale. C'est un tableau de l'artiste Pablo Picasso.

Il y a une connexion entre le tableau de Picasso et la Lance du destin. La lance a une légende fascinante. Il est possible de contrôler l'Europe avec la lance. Il y a des informations sur la Lance du destin dans les images du tableau.

Luc est impatient parce qu'il veut la lance immédiatement. Il veut la lance pour aider son oncle. L'oncle de Luc est Charles de Gaulle. C'est un héros de la résistance au nazisme en France. L'oncle de Luc veut défendre la France.

La France est en grand danger parce que les nazis veulent contrôler la France. Le Maréchal Pétain veut la lance pour aider les nazis. Charles de Gaulle veut la lance pour défendre la France. Il veut contrôler le destin de la France et il veut la lance immédiatement.

Pauline visite Paris pour aider Luc. Elle a un talent très particulier : décoder les symboles secrets. Et elle a une imagination exceptionnelle. Pauline n'est pas une femme réaliste et rationnelle. C'est une femme romantique qui parle beaucoup aux hommes.

Pauline est une amie de Luc. Elle a 22 ans. Elle est française et elle habite à Antibes. Elle a de longs cheveux bruns. Elle est belle, très belle.

Luc est français et il habite à Antibes aussi. C'est

Paris, France

un ami de Pauline. Il a 23 ans. C'est un homme sé-rieux et intelligent.

La cathédrale de Notre Dame

CHAPITRE DEUX

Un agent romantique

L'Exposition internationale
Paris, France

Luc et Pauline sont à l'Exposition internationale. Pauline examine le tableau de Picasso. Le tableau est très grand. Pauline observe les symboles secrets dans le tableau.

– Il y a des informations secrètes ? Où est la lance ? demande Luc.

Pauline ne répond pas. Elle examine le tableau. Luc insiste :

– Il y a des informations secrètes ?

– Oui, dans les symboles, répond Pauline.

Deux hommes mystérieux observent Pauline et Luc. Ils écoutent la conversation de Pauline et Luc. Les deux hommes sont les agents secrets du Maréchal Pétain. Ils regardent Pauline parce que Pauline examine le tableau. Les deux agents veulent la lance aussi. Ils veulent la lance parce que le Maréchal Pétain veut aider les nazis.

Il y a un agent qui s'appelle Roger. Il a 24 ans. C'est un agent cruel, mais pas très intelligent. C'est un homme sérieux. Il n'est pas beau. Il n'est pas populaire.

Il y a un autre agent avec Roger. L'agent s'appelle Marcel. Il a 20 ans. Marcel visite Paris parce qu'il a un talent particulier. C'est un agent romantique. Il est expert en conversation romantique. Marcel est beau, très beau. Il a les cheveux et les yeux noirs. Marcel n'est pas très grand. C'est un petit homme.

C'est ici que Picasso a peint « Guernica » en 1937

La Sainte-Chapelle

CHAPITRE TROIS

Un tableau célèbre

L'Exposition internationale
Paris, France

Marcel regarde Pauline parce que Pauline est très belle. Marcel dit à Roger :

– Pauline est belle, très belle.

Roger frappe Marcel sur la tête.

– Silence ! s'exclame Roger.

Pauline regarde le tableau qui s'appelle « Guernica ». C'est le grand tableau de l'artiste Pablo Picasso. C'est un artiste célèbre de grand talent. Picasso est espagnol, mais il habite à Paris. Le tableau représente la destruction de la ville de Guernica, en Espagne. Les nazis ont bombardé Guernica. Charles de Gaulle, l'oncle de Luc, ne veut pas la destruction de la France.

Il y a deux couleurs dans le tableau : le blanc et le noir. Il y a six personnes et trois animaux. Les personnes et les animaux sont en grand danger, parce qu'il y a des bombes à Guernica. Les yeux, les nez, les mains et les doigts des personnes sont exagérés. Ils sont énormes.

Pauline regarde deux animaux : un taureau et un cheval. Le cheval est en danger, parce qu'une lance perce l'estomac du cheval. Pauline observe la lance. Pauline note ses observations sur un cahier. Elle note les symboles. Luc observe les symboles aussi. Luc ne comprend pas l'importance des symboles, mais il veut des informations au sujet de la lance. Luc est impatient. Il demande à Pauline :

– Il y a des symboles ?

– Oui, il y a des symboles, dit Pauline.

– Quels symboles ? dit Luc.

Luc est très impatient. Il veut la lance immédiatement mais Pauline est fatiguée. Elle dit :

Le tableau « Guernica »

– Allons dans un café. Je suis fatiguée.

– Excellente idée. Allons-y ! dit Luc.

Roger et Marcel écoutent la conversation. Roger dit :

– Pauline va dans un café. Allons-y !

– Excellent ! Allons-y ! répond Marcel.

Au café « Les Deux Magots »

CHAPITRE QUATRE

Au café

Paris, France

Pauline et Luc vont au café « Les Deux Magots » . C'est un café populaire avec les artistes. Les deux agents, Roger et Marcel, arrivent secrètement derrière Pauline et Luc. Pauline et Luc ne voient pas les deux agents.

À l'intérieur du café, Roger offre un chapeau à Marcel. Il dit à Marcel :

– Je veux des photos pour l'investigation de la femme. Prends le chapeau. Il y a un appareil photo secret à l'intérieur du chapeau. Prends les photos avec le chapeau.

– Excellent, dit Marcel, je prends les photos de la femme.

– Non, Marcel ! Pas de photos de la femme, les photos pour l'investigation ! s'exclame Roger.

– Je comprends, je comprends, les photos pour l'investigation de la femme, dit Marcel.

Pauline parle avec Luc du tableau de Picasso. Roger écoute la conversation. Luc veut la lance immédiatement. Il est impatient. Luc demande :

– Il y a des symboles dans le tableau ? Quels symboles ?

Pauline explique :

– Il y a une grande maison. La lance est au centre de la grande maison. Il y a aussi une lampe. La lampe est très importante.

– Hmm. Intéressant. Une grande maison. Une maison et une lampe, dit Luc.

Pauline a une imagination exceptionnelle. Elle imagine une grande maison avec des lampes. Pauline prend des notes sur son cahier. Luc ne comprend pas les symboles que Pauline écrit sur le cahier. Pauline

Au café « Les Deux Magots »

demande à Luc :

– Luc, est-ce que Paris a une connexion avec la lance ?

– Oui, la lance a une connexion avec la Sainte-Chapelle. Louis IX a construit la Sainte-Chapelle pour exposer la lance, dit Luc.

L'histoire de la Sainte-Chapelle excite la curiosité de Pauline. Luc dit à Pauline :

– Voilà ! La Sainte-Chapelle. C'est la grande maison dans le tableau ?

– C'est possible. Allons à la Sainte-Chapelle, répond Pauline.

– Bonne idée ! Allons-y ! s'exclame Luc.

Luc et Pauline vont à la Sainte-Chapelle. Secrètement, Roger et Marcel vont à la Sainte-Chapelle derrière Pauline et Luc. Ils veulent la lance aussi.

Paris, France

La Sainte-Chapelle

CHAPITRE CINQ

La lampe

La Sainte-Chapelle
Paris, France

Pauline et Luc entrent dans la Sainte-Chapelle. Roger et Marcel entrent aussi, en silence. Pauline examine la chapelle. Dans l'imagination de Pauline, la chapelle ressemble à la maison dans le tableau.

Pauline et Luc s'avancent dans la chapelle. Il y a beaucoup de colonnes à l'intérieur de la Sainte-Chapelle.

Luc et Pauline observent les colonnes. Roger et Marcel s'avancent, en silence, dans la chapelle.

Luc ne voit pas bien les colonnes. Il allume une bougie. La bougie est dans ses mains. Luc s'avance pour regarder une colonne avec la bougie. Pauline observe Luc avec curiosité. Elle regarde la bougie. Dans son imagination, elle voit la lampe du tableau. La bougie ressemble à la lampe. Pauline dit :

– Luc, va vers la colonne du centre.

– Pourquoi ? demande Luc.

– La bougie ressemble à la lampe dans le tableau, répond Pauline.

Luc va vers la colonne du centre. Roger et Marcel vont secrètement vers Pauline et Luc. Pauline dit :

– Dans le tableau, la lampe et la lance sont au centre de la maison.

– Est-ce que la lance est sur une colonne ? demande Luc.

– C'est possible, répond Pauline.

Luc s'avance vers la colonne. Pauline regarde la colonne. Sur la colonne, il y a un symbole. Pauline s'exclame :

– Regarde ! Il y a un symbole !

Marcel s'avance en silence vers la colonne. Il veut

Une colonne dans la Sainte-Chapelle

prendre des photos du symbole. Luc est impatient, parce qu'il ne comprend pas les symboles. Il veut des informations au sujet de la lance.

Soudainement, la bougie brûle les cheveux de Pauline. Luc frappe la tête de Pauline parce que ses cheveux brûlent. Pauline est furieuse parce que Luc la frappe. Immédiatement elle frappe Luc. Il s'exclame :

– Mais non ! Tes cheveux brûlent !

Pauline regarde ses cheveux. Au moment où elle les regarde, ses cheveux ne brûlent plus. Pauline n'est pas contente. Elle dit à Luc :

– Allons-y !

– Mais, le symbole sur la colonne ? dit Luc.

– Un château et de l'eau, répond Pauline.

– Hmm. Un château et de l'eau, un château et de l'eau, répète Luc.

– L'eau ? C'est la mer Méditerranée ? demande Pauline.

– Voilà ! Oui ! C'est le Château Grimaldi à Antibes ! Le Château Grimaldi est à côté de la mer Méditerranée, s'exclame Luc.

Roger et Marcel écoutent la conversation. Roger veut les photos du cahier de Pauline. Il ne comprend pas pourquoi le château à Antibes est important.

Mais Pauline et Luc habitent à Antibes où ils ont beaucoup d'expérience.

– Oui. Le Château Grimaldi est un château à côté de l'eau, dit Pauline.

– Voilà ! Et le Château Grimaldi a une connexion avec Picasso. Il y a une exposition de l'art de Picasso dans le Château Grimaldi, dit Luc.

– Allons à Antibes. Allons au Château Grimaldi. Je veux regarder l'art de Picasso, propose Pauline.

– Excellente idée. Allons-y ! s'exclame Luc.

Antibes, France

CHAPITRE SIX

Les photos

Antibes, France

Pauline et Luc vont à Antibes, dans le sud de la France. Antibes est à côté de la mer Méditerranée. Pauline et Luc habitent à Antibes. Ils veulent visiter le Château Grimaldi à Antibes.

Ils vont à Antibes dans la voiture de Pauline. La voiture de Pauline est spéciale. Elle est très rapide. C'est une Talbot-Lago de l'année 1937.

La voiture de Pauline, une Talbot-Lago 1937

C'est une petite voiture.

Roger et Marcel vont à Antibes, aussi. La voiture de Roger est une Mercedes. C'est une excellente voiture et très rapide.

À Antibes, Pauline et Luc marchent vers le Château Grimaldi. Ils marchent le long d'une promenade. La promenade Amiral de Grasse est à côté de la mer Méditerranée. Le Château Grimaldi est à côté de la promenade. Pauline et Luc voient le Château Grimaldi.

Roger et Marcel marchent sur la promenade en secret. Ils voient le Château Grimaldi. Sur la promenade, Pauline regarde son cahier et ses observations du tableau. Roger veut une photo du cahier de Pauline. Roger dit à Marcel :

– Je veux une photo du cahier de la femme.

– Je veux prendre la photo, dit Marcel.

– Excellent ! Prends une photo du cahier, répond Roger.

Marcel marche vers Pauline et Luc. Marcel a un appareil photo secret dans son chapeau. Pauline observe Marcel. Elle observe ses cheveux et ses yeux. Marcel a les yeux noirs. Il est très beau. Pauline regarde Marcel avec intérêt parce qu'il est très beau. Marcel regarde Pauline avec les yeux romantiques et Pauline regarde Marcel avec les yeux romantiques aussi. Pauline dit :

– Bonjour. Ça va ?

– Ça va bien, répond Marcel.

– Comment vous appelez-vous ? demande Pauline.

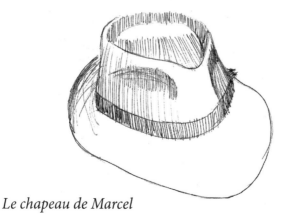

Le chapeau de Marcel

– Je m'appelle Marcel, répond Marcel.

Marcel regarde les yeux de Pauline. En secret, Marcel prend beaucoup de photos de Pauline. Il prend des photos de ses yeux et de sa bouche. Il prend des photos de ses cheveux. Marcel marche vers Pauline et lui dit :

– Vous êtes très belle. Vous avez des yeux superbes.

– Merci. Vous êtes beau aussi, répond Pauline.

– Est-ce que vous habitez à Antibes ?

– Oui, et vous ? Où est-ce que vous habitez ? demande Pauline.

– Au paradis, répond Marcel le charmeur.

Pauline est contente parce que Marcel est romantique. Elle veut parler avec Marcel. Mais Luc prend la main de Pauline. Luc est impatient. Luc dit à Pauline :

– Allons au château.

– Mais Marcel est très beau. Et très intéressant, répond Pauline.

– L'investigation est très intéressante. Allons au Château Grimaldi, insiste Luc.

Pauline et Luc marchent vers le Château Grimaldi. Marcel court vers Roger.

– Tu as des photos ? demande Roger.

– Oui, beaucoup de photos. Beaucoup de photos

de Pauline, répond Marcel.

– Je ne veux pas de photos de Pauline ! Je veux des photos du cahier ! s'exclame Roger. Où est Pauline ?

– Pauline et Luc vont au Château Grimaldi, explique Marcel.

– Allons au Château Grimaldi aussi, dit Roger.

Le Château Grimaldi

CHAPITRE SEPT

Le Château Grimaldi

Antibes, France

Pauline et Luc entrent dans le Château Grimaldi. Ils veulent regarder l'art de Picasso. Roger et Marcel entrent secrètement dans le château.

Dans le château il y a une exposition d'art. Il y a trois tableaux de Picasso. Luc veut que Pauline compare les tableaux avec « Guernica ».

Dans le tableau il y a un homme à cheval qui porte une lance.

Pauline regarde les trois tableaux. Elle examine un tableau. Dans le tableau il y a un homme à cheval qui porte une lance. Luc regarde le tableau et s'exclame :

– La Lance du destin !

– Oui. Un homme à cheval qui porte la lance, répond Pauline.

– Où est la lance ? En France ? demande Luc.

Pauline examine les tableaux. Elle examine aussi ses observations sur le cahier. Pauline compare le tableau « Guernica » avec les trois tableaux dans le château. Pauline comprend que le taureau est un symbole important. Dans son imagination, Pauline voit le tableau « Guernica » . Elle voit un taureau et six personnes. Les personnes sont en grand danger, parce que le taureau court vers elles.

Pauline demande :

– Où en France, est-ce que les taureaux courent vers les personnes ?

– À Arles, dit Luc. À Arles il y a des courses de taureaux !

– Hmm. Est-ce qu'il y a une connexion entre Arles et la lance ? dit Pauline.

Luc parle de l'histoire de la lance à Paris. Il parle de la Sainte-Chapelle. Mais, la lance n'est plus dans la Sainte-Chapelle.

– Pourquoi est-ce que la lance n'est plus dans la Sainte-Chapelle ? demande Pauline.

– Pendant la Révolution française en 1789 la lance disparaît, répond Luc.

– La lance disparaît ? Pourquoi ? Est-ce qu'il y a une connexion entre Arles et la Révolution française ? demande Pauline.

– Voilà ! Pierre-Antoine Antonelle ! s'exclame Luc.

Luc explique l'histoire de la Révolution française à Arles. Pierre-Antoine Antonelle est célèbre pour son rôle dans la Révolution à Arles et à Paris. Il défend les idées de la Révolution française.

– C'est très intéressant ! Allons à Arles immédiatement ! s'exclame Pauline.

– Allons-y ! dit Luc.

Marcel et Roger écoutent la conversation. Ils comprennent que la lance est à Arles. Arles est à l'ouest d'Antibes.

Pauline écrit sur le cahier. Elle écrit où est la lance, exactement. Roger veut le cahier de Pauline parce que le cahier a des informations sur la lance. Roger a une idée.

Antibes, France

Antibes, France

CHAPITRE HUIT

La princesse

Antibes, France

Roger veut le cahier de Pauline immédiatement. Il est furieux parce que Marcel n'est pas un agent très efficace quand il parle avec une belle femme. Roger veut que Marcel parle avec Pauline déguisé en femme. Roger dit à Marcel :

– Je veux que tu parles avec Pauline, mais déguisé en femme.

– Qui ? Moi ? Déguisé en femme ? C'est ridicule ! répond Marcel.

– Oui, toi. Tu n'es pas efficace comme agent secret en homme, explique Roger.

– Mais, moi ? Déguisé en femme ? s'exclame Marcel.

– Voilà ! Vite ! Déguise-toi en princesse. Moi, je sépare Pauline et Luc, dit Roger.

Pauline et Luc marchent vers la voiture. Roger marche derrière Pauline et Luc. Ils marchent le long de la promenade. C'est une rue très populaire. Il y a beaucoup d'activité. Beaucoup de personnes marchent le long de la promenade aussi.

Roger marche vers Pauline et Luc. Il veut séparer Pauline et Luc. Roger dit à Pauline :

– Mademoiselle, regardez la princesse !

Quand Pauline regarde Marcel, Roger parle avec Luc. Pauline regarde la princesse. La princesse est intéressante. C'est évident que la princesse est un homme. Elle a de grandes mains. Pauline regarde les yeux de la princesse. Elle a les yeux noirs. La princesse dit à Pauline :

– Bonjour ! Ça va ?

– Ça va bien, Princesse, répond Pauline.

– Vous êtes la princesse. Vous êtes très belle, dit la princesse.

La princesse offre sa main à Pauline. Quand Pauline lui offre sa main aussi, la princesse prend le cahier ! Les observations de Pauline sont sur le cahier ! Pauline voit que la princesse prend le cahier. Rapidement, Pauline reprend le cahier. Elle frappe la princesse sur le bras et lui dit :

– Pirate ! Pourquoi est-ce que vous prenez mon cahier ?

– Qui ? Moi ? Votre cahier ? répond la princesse.

Pauline regarde intensément les yeux de la princesse. Elle note que la princesse a les yeux noirs. Elle reconnaît les yeux. Soudainement, Pauline s'exclame :

– Marcel !

Très vite, Marcel attrape Pauline. Mais Pauline le frappe sur la tête. Pauline s'échappe des bras de Marcel. Alors, Marcel court après elle. Pauline court très vite. Marcel ne court pas très vite parce qu'il est déguisé en princesse.

Luc voit Pauline. Il court vers Pauline. Il lui prend la main. Il court vers la voiture avec Pauline.

Roger court vers Marcel. Il est furieux. Roger s'exclame :

– Pourquoi est-ce que tu ne cours pas vite ?

– Une princesse ne court pas, explique Marcel.

– Je ne veux pas d'excuses ! Cours vite ! Pauline s'échappe ! s'exclame Roger.

Antibes, France

La voiture de Roger, une Mercedes

CHAPITRE NEUF

La voiture rapide

Antibes, France

Pauline et Luc courent à la voiture. La voiture va rapidement à travers les rues d'Antibes. Soudainement, Pauline voit une autre voiture derrière sa voiture. C'est une Mercedes. La Mercedes est très rapide. C'est la Mercedes de Marcel et de Roger.

La Mercedes accélère. Pauline

accélère aussi. Soudainement, il y a une courbe dans la rue. Pauline accélère. Luc est nerveux. Il dit à Pauline :

– Mais non ! Pourquoi est-ce que tu accélères ?

– Je veux m'échapper, répond Pauline.

– N'accélère pas ! Il y a une courbe ! insiste Luc.

Pauline n'écoute pas Luc. Elle accélère beaucoup. Roger accélère aussi. Il veut rattraper la voiture de Pauline. Soudainement, la voiture de Pauline tourne dans la rue. Luc s'exclame :

– Non ! Pauline !

Pauline est très concentrée. La voiture de Pauline entre dans une petite rue. La Mercedes tourne dans la rue aussi. La Mercedes n'entre pas dans la petite rue. La Mercedes a un accident ! La voiture de Pauline s'échappe !

Alors, la voiture de Pauline continue vers Arles.

Une courbe dans la rue

Arles, France

CHAPITRE DIX

Les taureaux

Arles, France

Arrivés à Arles, Luc et Pauline vont à la place du Forum. Il y a beaucoup de cafés sur la place. Arles n'est pas très petite, mais elle n'est pas très grande non plus. Quand ils marchent à travers la place, Pauline voit Marcel ! Il marche avec Roger. Pauline s'exclame :

– Regarde ! C'est Marcel ! Courons vite !

Ils courent très vite. Roger et Marcel courent après Pauline et Luc. Rapidement, Pauline et Luc courent vers une barrière. Ils sautent la barrière ! Ils sautent parce qu'ils veulent échapper à Marcel et Roger. Il y a beaucoup de personnes qui les regardent.

Immédiatement, Roger et Marcel sautent la barrière aussi. Roger et Marcel voient Pauline et Luc. Il n'est pas possible de s'échapper très vite, parce qu'il y a beaucoup de personnes. Pauline est très nerveuse.

Roger et Marcel courent vers Pauline et Luc. Soudainement, six taureaux courent dans la rue. C'est une course de taureaux ! Luc court vite devant les taureaux. Luc échappe aux taureaux. Roger échappe aux taureaux aussi, parce qu'il court très vite.

Mais Marcel et Pauline ne s'échappent pas. Les taureaux courent après Pauline et Marcel. Pauline court vite, mais il y a beaucoup de personnes.

Marcel court derrière Pauline. Un taureau heurte Marcel et Pauline ! Aïe ! Pauline et Marcel tombent dans la rue, mais le taureau ne les attaque pas. Le taureau court vers l'arène des taureaux.

Soudainement, un autre taureau heurte Pauline et Marcel. Pauline est nerveuse, mais le taureau ne les attaque pas. Soudainement, Marcel prend le cahier de

Pauline. Marcel se lève victorieux avec le cahier dans la main. Pauline se lève furieuse. Elle veut son cahier.

Marcel est content parce qu'il a le cahier. Pauline veut reprendre son cahier. Marcel a le cahier dans la main et il dit :

– Voilà, ma belle. Le cahier.

– Marcel ! Pourquoi est-ce que tu prends mon cahier ? s'exclame Pauline.

Marcel ne répond pas parce qu'à ce moment un autre grand taureau court dans la rue. Le taureau voit le cahier qui est dans la main de Marcel. Le taureau court vers Marcel, parce qu'il veut attaquer Marcel.

Rapidement, Marcel court vers une barrière. Le taureau attaque Marcel. Aïe ! Le taureau heurte le bras de Marcel. Avec la tête, le taureau lève Marcel complètement. Marcel tombe dans la rue. Le cahier tombe de sa main.

Alors, le taureau attaque Marcel. Il heurte Marcel avec sa tête. Le taureau lève Marcel en l'air.

Pauline voit que le cahier tombe dans la rue. Pauline prend son cahier et elle court, parce qu'elle veut s'échapper avec le cahier.

Immédiatement, le taureau voit Pauline. Le taureau court après Pauline. Rapidement, Pauline saute la barrière et échappe au taureau. Marcel se lève et saute la barrière aussi. Marcel marche derrière Pauline secrètement.

Arles, France

L' arène des taureaux à Arles

CHAPITRE ONZE

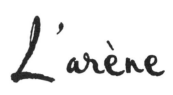

Arles, France

Pauline voit Luc en face d'un restaurant. Luc est impatient. Il veut la lance immédiatement. Luc dit :

– La situation est urgente. Marcel et son ami veulent la lance.

– Oui, c'est urgent, dit Pauline.

– Qu'est-ce que tu vois avec ton imagination ? demande Luc.

– Un homme à cheval avec la lance, explique Pauline.

Luc mentionne que dans l'arène des taureaux il y a des hommes à

CHAPITRE 11 • 55

cheval. Pauline s'exclame :

– Voilà ! Allons à l'arène des taureaux !

– Bonne idée. Allons-y ! dit Luc.

Pauline et Luc entrent dans l'arène des taureaux. Il y a une corrida. Il y a beaucoup de personnes dans l'arène des taureaux. Les personnes veulent voir la corrida.

Pauline regarde le cahier avec ses observations. Elle regarde les symboles sur le cahier. Pauline dit à Luc :

– Sur le tableau de Picasso, une lance perce l'estomac du cheval.

– Que c'est intéressant ! Normalement, la lance perce le taureau, pas le cheval, dit Luc.

Pauline ne répond pas parce qu'il y a beaucoup d'applaudissements. Un picador entre dans l'arène. Le picador est à cheval. Le picador a une lance à la main. Pauline observe la lance intensément.

Pauline regarde les symboles sur le cahier. Dans son imagination, Pauline voit le cheval qui est dans le tableau. Elle voit aussi un picador. Le picador est à cheval. Le cheval a quatre jambes. Une jambe est spéciale. Elle est en forme de tête de taureau. Pauline dit à Luc :

L' arène des taureaux à Arles

– Dans le tableau, le cheval est un symbole important.

– Le cheval représente le cheval d'un picador ? demande Luc.

– Et le picador perce le taureau secret avec la lance ! dit Pauline.

– Un taureau secret ? Où ? insiste Luc.

À ce moment, le taureau dans l'arène court vers le cheval du picador. Le taureau attaque le cheval avec sa tête. Le picador attaque le taureau avec la lance. La lance perce le taureau. Et le taureau tombe. Normalement, le taureau ne tombe pas. La lance paralyse le taureau parce que c'est une lance spéciale.

Pauline voit le tableau dans son imagination. Elle imagine qu'il y a une tête de taureau secrète. Elle se lève et elle s'exclame :

– Regarde ! La lance paralyse le taureau.

– Oui, le taureau tombe. Ce n'est pas normal, dit Luc.

– Est-ce que c'est possible ? Est-ce que le picador a la Lance du destin ? demande Pauline.

Rapidement, Pauline court vers la barrière de l'arène. Luc se lève et court après Pauline. Luc voit que Pauline veut sauter la barrière. Pauline veut entrer dans l'arène des taureaux, parce qu'elle veut la lance. Luc s'exclame :

– Mais non ! N'entre pas dans l'arène ! Il y a un taureau.

– Mais le picador a la lance, insiste Pauline.

Rapidement, Pauline saute la barrière. Luc ne

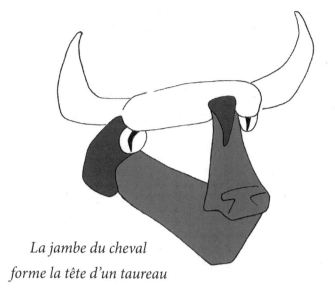

La jambe du cheval
forme la tête d'un taureau

saute pas la barrière. Dans l'arène, Pauline court vers le picador. Le picador voit Pauline. Le picador est confus. Il ne comprend pas pourquoi Pauline court à travers l'arène. Pauline prend la lance du picador.

Marcel veut la lance. Marcel saute la barrière et court vers Pauline. À ce moment, le taureau se lève et court vers Marcel. Le taureau heurte les jambes de Marcel. Aïe ! Pauline court vers la barrière et saute la barrière.

Luc est content parce que Pauline est derrière la barrière. Luc est très content, parce que Pauline a la lance. Luc lui dit :

– Tu as la lance ! Bravo ! Allons-y !

– Oui, allons-y ! répond Pauline.

Arles, France

CHAPITRE DOUZE

Arles, France

Rapidement, Luc et Pauline courent dans une rue. Roger voit que Pauline a la lance. Secrètement, Roger court après Pauline et Luc, parce qu'il veut la lance. Roger court très vite.

Soudainement, Roger saute et attrape Luc par les jambes. Luc tombe dans la rue. Pauline ne voit pas que Luc tombe. Pauline court vers un parc.

Il y a un pont dans le parc. Quand Pauline court sur le pont, une personne s'exclame :

– Pauline ! Pauline !

Pauline voit que la personne n'est pas Luc. La personne est Marcel. Pauline est nerveuse parce que Luc n'est pas avec elle. Pauline s'exclame :

– Non ! Ne vous avancez pas !

Marcel veut parler avec Pauline, mais il a un motif secret. Marcel veut la lance. Marcel avance vers le pont, mais Pauline répète :

– Ne vous avancez pas !

Marcel ne marche pas vers Pauline. Marcel regarde Pauline avec les yeux romantiques, parce qu'il veut la lance.

– Vous êtes très belle, dit Marcel.

– Merci, répond Pauline, nerveusement.

Pauline est confuse, parce que Marcel la regarde avec les yeux romantiques. Pauline ne comprend pas les motifs de Marcel.

– Pauline ! s'exclame Luc.

– Luc ! répond Pauline.

CHAPITRE TREIZE

La partie magique

Arles, France

Pauline regarde Luc. Elle voit que Luc arrive avec Roger. Luc est le prisonnier de Roger parce que Roger veut la lance.

Soudainement, un chat noir marche devant Pauline. Alors, Pauline regarde le chat. Elle ne regarde pas Roger.

– Court ! s'exclame Luc.

Immédiatement, Pauline regarde Luc. Roger n'est pas avec Luc, parce

La Lance du destin

qu'il court vers Pauline. Marcel court vers Pauline aussi. Pauline court mais elle tombe sur le chat. Pauline tombe et la lance tourne en l'air.

Marcel et Roger observent la lance tourner en l'air. Ensuite, la lance tombe dans l'eau et flotte dans l'eau. Marcel et Roger sautent rapidement dans l'eau, parce qu'ils veulent la lance. Luc veut sauter dans l'eau aussi. Mais Pauline s'exclame :

– Non ! Luc, ne saute pas !

– Pourquoi pas ? demande Luc.

– La lance ne flotte pas dans l'eau, explique Pauline.

– Où est la lance ? demande Luc.

Pauline regarde le pont. Une partie de la lance est sur le pont. C'est la partie métallique de la lance. C'est la partie magique de la lance. Pauline prend cette partie de la lance.

– La partie métallique se sépare de la lance, explique Pauline.

Luc est très content et il dit :

– La lance ! Tu as la lance ! Tu as la partie magique !

– Oui ! répond Pauline.

– Allons à la voiture ! s'exclame Luc.

Pauline et Luc courent vers la voiture avec la lance. Roger et Marcel vont vers la partie de la lance qui est dans l'eau. Roger prend cette partie de la lance. Roger voit qu'il n'y a pas de partie métallique. Ce n'est pas la Lance du destin. Roger et Marcel sont furieux, parce qu'ils n'ont pas la partie métallique de la lance. Ils frappent l'eau avec la partie non-magique de la lance et ils crient :

– Ce n'est pas la Lance du destin !

Pauline et Luc vont en voiture vers Paris. Ils vont à Paris parce que l'oncle de Luc est à Paris et il veut la lance. Luc dit :

– Merci, Pauline. Tu défends la lance.

– Merci au chat noir. Le chat est un héros, répond Pauline.

– Le héros, c'est ton imagination. L'imagination est importante, dit Luc.

– Un bon ami est important, très important, explique Pauline.

Luc est content, parce que Pauline est une bonne amie et parce qu'elle a une imagination exceptionnelle.

Glossaire

The English meanings listed are as they appear in the text.

a - has
à - to, at, in
à côté de - beside
accélère - accelerates
accélères - accelerate
accident - accident
activité - activity
agent - agent
agents - agents
aider - to help
aïe - ouch
air - air
allons - go, let's go
allons-y - let's go there
allume - lights
alors - so, then
ami - friend
amie - friend
amiral - admiral
animaux - animals
année - year
ans - years
Antibes - city in southern France

Antoine - Anthony
Antonelle, Pierre-Antoine - historical figure
appareil photo - camera
appelez - you call
appelle - call
applaudissements - applause
après - after
arène - arena
Arles - city in southern France
arrive - arrives
arrivent - arrive
arrivés - once arrived, upon arrival
art - art
artiste - artist
artistes - artists
as - have
attaque - attacks
attaquer - to attack
attrape - catches

au - to the (à+le)
aussi - also
autre - other, another
aux - to the (à+les)
avance - advances
avancent - advance
avancez - advance
avec - with
avez - have
barrière - barrier
beau - handsome, good-looking
beaucoup - a lot, many, much
belle - beautiful
bien - well
blanc - white
bombardé - bombed, bombarded
bombes - bombs
bon, bonne - good
bonjour - hello, good day
bouche - mouth
bougie - candle
bras - arm
bravo - hurray
brûle - burns

brûlent - burn
bruns - brown
ça - that, this
café - café
cafés - cafés
cahier - notebook
ce - this
célèbre - famous
centre - center
c'est - it is, this is
cette - this
chapeau - hat
chapelle - chapel
chapitre - chapter
Charles - Charles
charmeur - charmer
chat - cat
château - castle
cheval - horse
cheveux - hair
cinq - five
colonne - column
colonnes - columns
comme - like, as
comment - how
comment vous appelez-vous - what's your name

compare - compares

complètement - completely

comprend - understands

comprends - understand

comprennent - understand

concentrée - concentrated

confus, confuse - confused

connexion - connection

construit - constructed

content, contente - happy

continue - continues

contrôler - to control

conversation - conversation

corrida - bullfight

côté : à côté de - beside

couleurs - colors

courbe - curve

courent - run

courons - run, let's run

cours - run

cours ! - run!

course de taureaux - running of the bulls

court - runs

crient - yell, shout

cruel - cruel

curiosité - curiosity

danger - danger

dans - in

de Gaulle, Charles - French leader

de Grasse - street name

de, d' - from, of

décoder - to decode

défend - defends

défendre - to defend

défends - defend

déguisé - disguised

déguise - disguises

demande - asks

derrière - behind

des - from the, of the (de+les)

destin - destiny

destruction - destruction

deux - two

devant - in front of

disparaît - disappears

dit - says
dix - ten
doigts - fingers
douze - twelve
du - from the, of the
  (de+le)
eau - water
échappe - escapes
échapper - to escape
écoute - listens
écoutent - listen
écrit - writes
efficace - effective
elle - she
elles - they
en - in, at
en face de - facing
énormes - enormous
ensuite - next, then
entre - between
entre - enters
entrent - enter
entrer - to enter
es - are
Espagne - Spain
espagnol - Spanish
est - is
estomac - stomach

et - and
êtes - are
Europe - Europe
évident - evident
exactement - exactly
exagérés - exaggerated
examine - examines
examiner - to examine
excellent, excellente -
  excellent
exceptionnelle -
  exceptional
excite - excites
exclame - exclaims
excuses - excuses
expérience - experience
expert - expert
explique - explains
exposer - to expose
exposition - exposition,
  exhibition
fascinante - fascinating
fatiguée - tired
femme - woman
flotte - floats
forme - forms
forum - name of town
  square

français, française -
French
France - France
frappe - hits
frappent - hit
furieuse - furious
furieux - furious
grand, grande - big
grandes - big
Grimaldi - family of
castle in Antibes
Guernica - town in
northern Spain;
Picasso's painting
habitant - live
habite - lives
habitez - live
héros - hero
heurte - runs into
histoire - history
homme - man
hommes - men
huit - eight
idée - idea
idées - ideas
il - he
il y a - there is, there are
ils - they

images - pictures,
images
imagination -
imagination
imagine - imagines
immédiatement -
immediately
impatient - impatient
importance -
importance
important - important
importante - important
informations -
information
insiste - insists
intelligent - intelligent
intensément - intensely
intéressant - interesting
intéressante -
interesting
intérêt - interest
intérieur - interior
international -
international
investigation -
investigation
jambe - leg
jambes - legs

je - I

je m'appelle - my name is

je m'échappe - I escape

la, l' - the, her, it

lampe - lamp

lampes - lamps

lance - lance, spear

le, l' - the

légende - legend

les - the, them

lève - lifts, raises

long : le long de - along

longs - long

Louis IX - King of France in the 1200s

Luc - Luke

lui - him, her

ma - my

mademoiselle - Miss

magique - magic

magots - wise men

main - hand

mains - hands

mais - but

maison - house

Marcel - Marcel

marche - walks

marchent - walk

maréchal - military field marshal

me, m' - me, myself

Méditerranée - Mediterranean

mentionne - mentions

mer - sea

Mercedes - a type of car

merci - thank you

métallique - metallic

millions - millions

mission - mission

moi - me, myself

moment - moment

mon - my

motif - motive

motifs - motives

mystérieux - mysterious

nazis - Nazis

nazisme - Nazism

ne...pas - not

ne...plus - no longer, not...anymore

nerveuse - nervous

nerveusement - nervously

nerveux - nervous

neuf - nine

nez - nose

noir, noirs - black

non - no

normal - normal

normalement - normally

note - writes down

notes - notes

observations - observations

observe - observes

observent - observe

occasion - occasion

offre - offers

oncle - uncle

ont - have

onze - eleven

où - where

ouest - west

oui - yes

Pablo - Paul

par - by

paradis - paradise

paralyse - paralyzes

parc - park

parce que - because

Paris - capital of France

parle - talks, speaks

parler - to talk, to speak

parles - talk, speak

particulier - particular

partie - part

pas : ne...pas - not

Pauline - Pauline

pendant - during

perce - pierces

personne - person

personnes - people

Pétain, Maréchal - French leader

petit, petite - small, little

photo - photo

photos - photos

picador - horseman in a bullfight

Picasso - famous painter

Pierre - Peter

pirate - pirate

place - town square

plus - more

pont - bridge

populaire - popular

porte - carries

possible - possible

pour - for

pourquoi - why
prend - takes
prendre - to take
prends - take
prenez - take
princesse - princess
prisonnier - prisoner
promenade -
promenade, walkway
propose - proposes
quand - when
quatre - four
que - that, what
quels - which
qui - who
rapide - fast, rapid
rapidement - fast,
quickly
rationnelle - rational
rattraper - catch
réaliste - realist, realistic
reconnaît - recognizes
regarde - looks at
regardent - look at
regarder - to look at
regardez - look at
répète - repeats
répond - responds

reprend - takes back
reprendre - to take back
représente - represents
résistance - resistance
ressemble - resembles
restaurant - restaurant
révolution - revolution
ridicule - ridiculous
Roger - Roger
rôle - role
romantique - romantic
romantiques - romantic
rue - street
rues - streets
s'avance - advances
s'avancent - advance
s'échappe - escapes
s'échapper - to escape
s'exclame - exclaims
sa - his, her
sainte - saint
saute - jumps
sautent - jump
sauter - to jump
se - himself, herself
se déguise - disguises
himself
se lève - gets up

secret, secrets - secret
secrète, secrètes - secret
secrètement - secretly
sépare - separates
séparer - to separate
sept - seven
sérieux - serious
ses - his, her
silence - silence
situation - situation
six - six
son - his, her
sont - are
soudainement - suddenly
spéciale - special
sud - south
suis - am
sujet : au sujet de - about
superbes - superb
sur - on
symbole - symbol
symboles - symbols
tableau - painting
tableaux - paintings
Talbot-Lago - a type of car

talent - talent
taureau - bull
taureaux - bulls
tes - your
tête - head
toi - you, yourself
tombe - falls
tombent - fall
ton - your
touristes - tourists
tourne - turns
tourner - to turn
travers : à travers - across
treize - thirteen
très - very
trois - three
tu - you
un, une - one, a
urgent, urgente - urgent
va - goes
vers - towards
veulent - want
veut - wants
veux - want
victorieux - victorious
ville - city
visite - visits

visitent - visit

visiter - to visit

vite - fast, quickly

voient - see

voilà - there you go

voir - to see

vois - see

voit - sees

voiture - car

vont - go

votre - your

vous - you

y : il y a - there is, there are

yeux - eyes

Notes

Here are some themes and places for you to explore:

§ Pablo Picasso

§ 1937 International Exposition in Paris

§ Paris, France

§ Sainte-Chapelle and its connection to the Spear of Destiny

§ Les Deux Magots, where Picasso hung out

§ French King Louis IX

§ French Revolution, 1789

§ 'Guernica' the painting

§ Picasso's paintings depicting bulls, bullfighting, and the crucifixion

§ Cubism style of painting

§ Nazis' bombing of Guernica, Spain

§ Charles de Gaulle and the Free French

§ French Resistance of Nazi occupation during World War II

§ Marshal Henri-Philippe Petain and Vichy government of France

§ Pierre-Antoine Antonelle

§ Antibes, France

§ Picasso in Nice, Antibes, Aix-en-Provence, Arles and Mougins

§ Bullfights and the Running of the Bulls

§ Picasso Museum in Paris, Antibes and Barcelona

§ Picasso's relationship with Arles, France

§ Bullfighting school in Arles

§ Camargue bull games

§ UNESCO World Heritage status for bullfighting in France

§ Spanish bullfighting first appeared in France in 1701

§ Spear of Destiny

§ Hitler's search for the Spear of Destiny and for other occult objects

§ Spanish Civil War as a prelude to World War II

§ Spies and secret agents

§ 1937 Talbot-Lago automobile

§ Mercedes-Benz automobiles

Océan
Atlantique

Paris

La France

Arles

Antibes

Mer Méditerranée

Remerciements

Many thanks to Anny Ewing for a wonderful translation. Thanks also to the students of Kendra Whipkey and Janet Holzer who provided feedback while using the novella in class, and to Micheline Hamelin, Amy Hubertus, Laura Durnin, Laura Terrill, Christine Merchant, Edwige Simon, Judith Logsdon-Dubois, and Teri Wiechart.

L'auteur

Mira Canion is an energizing presenter, author, photographer, stand-up comedienne, and high school Spanish teacher in Colorado. She has a background in political science, German, and Spanish. She is also the author of the popular historical novellas *Pirates français des Caraïbes, Piratas del Caribe y el mapa secreto, Rebeldes de Tejas, Agentes secretos y el mural de Picasso, La Vampirata, Rival, Tumba* as well as teacher's manuals. For more information, please consult her website: **www.miracanion.com**